QUATRO IDEIAS PARA VIVER
EM TEMPOS DE INCERTEZAS

CLÓVIS DE BARROS FILHO
LEANDRO KARNAL
MARIO SERGIO CORTELLA
MONJA COEN

QUATRO IDEIAS PARA VIVER
EM TEMPOS DE INCERTEZAS

PAPIRUS 7 MARES

Capa	Fernando Cornacchia
Coordenação e edição	Ana Carolina Freitas
Diagramação	DPG Editora
Revisão	Roberta Munhoz Alecrim

Dados Internacionais de Catalogação na Publicação (CIP)
(Câmara Brasileira do Livro, SP, Brasil)

Quatro ideias para viver em tempos de incertezas/Clóvis de Barros Filho... [et al.]. – Campinas, SP: Papirus 7 Mares, 2020.

Outros autores: Leandro Karnal, Monja Coen, Mario Sergio Cortella.

ISBN 978-65-5592-009-3

1. Autoconhecimento 2. Felicidade (Filosofia) 3. Sociologia 4. Valores (Éticas) 5. Vida – Aspectos morais e éticos I. Karnal, Leandro. II. Coen, Monja. III. Cortella, Mario Sergio.

20-48161 CDD-301

Índice para catálogo sistemático:
1. Sociologia 301

Aline Graziele Benitez – Bibliotecária – CRB-1/3129

1ª Edição – 2020

Exceto no caso de citações, a grafia deste livro está atualizada segundo o Acordo Ortográfico da Língua Portuguesa adotado no Brasil a partir de 2009.	Proibida a reprodução total ou parcial da obra de acordo com a lei 9.610/98. Editora afiliada à Associação Brasileira dos Direitos Reprográficos (ABDR). DIREITOS RESERVADOS PARA A LÍNGUA PORTUGUESA: © M.R. Cornacchia Editora Ltda. – Papirus 7 Mares R. Barata Ribeiro, 79, sala 316 – CEP 13023-030 – Vila Itapura Fone: (19) 3790-1300 – Campinas – São Paulo – Brasil E-mail: editora@papirus.com.br – www.papirus.com.br

SUMÁRIO

Felicidade e morte 7
Clóvis de Barros Filho

Um desafio 23
Leandro Karnal

Viver? A incerteza dos rumos e a
persistência das escolhas! 35
Mario Sergio Cortella

Céu ou inferno: A escolha é sua 49
Monja Coen

1
FELICIDADE E MORTE

Felicidade ou morte. Teria preferido felicidade e morte. Porque uma não exclui a outra. Pelo contrário. São cúmplices. A segunda, soberana, esta se impõe. E deixa a primeira entrar em cena, de vez em quando.

É isso mesmo. Nenhum valor da vida, repito, *nenhum*, se sustenta como tal, sem que a finitude lhe dê a benção. Assim a felicidade. Que sem a morte seria outra coisa. Tão diferente quanto impensável.

O zelo, em primeira pessoa, é valor. Mais para uns do que para outros. Mas é sempre valor. Pois bem. Precisa da finitude para valer. Porque sem a certeza de que podemos deixar de viver, não haveria por que zelar.

O zelo, em segunda e terceira pessoas, também é valor. Para muitos, o maior deles. Gente que coloca a vida do outro acima da própria. Como fiz um dia, com a filha doente. Pois é. Precisou ficar doente. Bem doente. Perto de deixar de existir. Foi quando o valor valeu *pra* valer.

O zelo pelo planeta. Mais que valor. Luta de muita gente. Desdenhado por outros tantos, é verdade. Só vale porque sabemos que o fim é possível. Do planeta todo? Certamente. Mas, antes disso, de tudo o que nele vive. Com seus gêneros e suas espécies.

***

Felicidade na finitude. Felicidade no mundo. No que percebemos dele. O homem não tem instinto. Faltam-lhe reações rígidas a estímulos do mundo. Certeza dos gregos aos modernos. Por isso, as leis. Bem como as instituições. Para que haja algum regramento. Para que avancemos da horda à ordem. Do caos à civilização. Do estado de natureza a esse outro, que ajudamos a construir dia a dia.

Mas nada que parece transparece. Nossa vida cotidiana é opaca, talvez invisível. Em experiências mediadas por nuvens de embaçamento. No ensimesmado cipoal das divagações preocupadas, o olhar e sua gangue de sentidos patinam no torpor obnubilado. Dessa nebulosa opacidade, participam a centrífuga dos desejos, o flutuar nauseado das utilidades em cadeia, as opiniões aplaudidas em rebanho, o temor do devir ignorado, as crenças acumuladas sem recuo nem crítica e os hábitos, que se reproduzem na inércia da própria definição.

Tudo parece reforçar desprezo pelo mundo, desatenção crônica e deslocamento recorrente. O esforço dos grandes pensadores sempre foi o de denunciar a opacidade, afastar as nuvens que turvam a percepção, distorcem seus flagrantes e falseiam o real, empobrecendo toda a experiência. Resta-nos empenho correlato, para devolver à presença imediata seu caráter original, aos fenômenos a relevância maior e ao mundo percebido seu estatuto mais digno.

Para tanto, urge vitória sobre os vieses arbitrários da vontade bem como em frente aos escapes temerosos da imaginação. Reconciliação com o mundo que cobra ajuste pleno com seus tempos e espaços, emancipação do espírito em face do estrabismo das obviedades implícitas que fingem aproximar, mas só afastam.

Abrir-se para o universo – em relação franca e genuína – cobra trocar os programas consagrados de existência pelo respeito encantado ao inédito, virginal e irrepetível. E tão agudo esforço só se revelará compensador pela angústia do desencontro. A fragilidade louca de viver dentro e fora. De estar sem estar. De atravessar a vida breve em quimera fosca de fuga covarde, na fissura rachada do que poderia ter sido.

Toda percepção do mundo é fragmentada. Só um estilhaço da realidade se apresenta aos sentidos. Como tudo tem mesmo a ver com tudo, o afetado de alegria não vê o mesmo que veria se triste estivesse. O angustiado ouve diferente do apaziguado. E o amante, este quando apalpa, beija ou abraça, percebe o mundo de um jeito que amado nenhum perceberia.

Mais do que estados de espírito, energias e potências vitais, a percepção se dá em posição. Naquela e não em outra. Posição ocupada no mundo infinito e sem eixos cartesianos. Que permite perspectivas únicas e inexoráveis. Excludentes de todas as outras possíveis. Ao menos naquele instante e lugar.

Os argumentos já jorram para a inferência óbvia: o mundo percebido é um para cada um. E não só. Também é um para cada instante de vida. Exclusividade inédita que nos joga na solidão inapelável, diante de qualquer outro e de nós mesmos.

Ainda que pudéssemos coincidir no tempo e no espaço com algum outro corpo, ocupando a mesmíssima posição, o mundo nos afetaria singularmente. Afinal, ninguém sente com o corpo do outro. Nem quando dá causa as suas sensações.

***

Felicidade no mundo percebido. Mas também na alma elevada.

Na Antiguidade, muitos de nossos antepassados compartilhavam a mesma crença: o homem sábio, ou que ainda busca a sabedoria, é mais amado pelos deuses. Consequentemente, mais feliz.

Nesse caso, a felicidade de todos nós, buscada por leis e instituições, nada teria a ver com prazeres de afetação fácil. Como os divertimentos de toda hora. Tampouco com as sensações que ensejam. Por mais agradáveis que possam ser.

O estado de semidormência da alma, entregue a estímulos de segunda classe – que em nada solicitam as suas mais agudas potencialidades intelectivas e de discernimento –, seria apequenador da vida. Redutor do seu valor.

No entanto, nossos corpos e nossas almas estão no mundo que é esse aí. Entre Urano e Gaia. Espaço onde a vida pode e deve ser vivida. Num mundo que já estava aí antes de nós. Que seguirá sua existência em nossa posteridade. Na companhia de pessoas que já se encontravam quando surgimos. E de outras, que foram aparecendo sem requerer tampouco nossa autorização.

Mundo que, hipoteticamente, nos oferece infinitas possibilidades de encontros e experiências de todos os tipos. Mas que, por outro lado, parece impor, ante as condições materiais concretas da vida de cada um, troféus a alcançar, estratégias a adotar para alcançá-los, limites de intervenção, alianças facilitadoras, concorrentes a enfrentar, níveis esperados de intensidade e aguerrimento, ritmos de execução e muito mais.

Ora, como poderíamos exigir de nós mesmos, em face deste cenário já estabelecido, uma vida que excluísse o banal, o fútil, o irrelevante, o supérfluo, o indigno? Se tudo isso brota nas escolas, nas universidades, nos espaços profissionais, mas também no interior de nossos celulares, na tela de nossas televisões, nas primeiras páginas de nossos jornais, nas conversas na fila da padaria, em suma, em todo lugar?

Só há fidelidade à finitude. A certeza de um termo para tudo. Todos os valores de uma vida de carne e osso daí advêm. Se há empenho, é pelo fracasso possível. Se há zelo, é pelo perecimento provável. Se há preocupação, é pela fragilidade certa. Pelo outro, por si, pelo planeta e pelo pequeno animal que alegra a filha triste.

Alguns pensadores antigos acreditavam que os deuses se ocupavam dos não deuses, isto é, de todos nós cuja vida é marcada pela finitude. A nossa sorte no mundo não lhes era indiferente, portanto.

Acreditavam também que o ponto de maior proximidade, ou mesmo de tangência, entre nós e esses deuses estaria num certo tipo de uso da razão. Dessa forma, quando pensamos fazemos o que os deuses fazem também. Mais perfeitamente que nós, por certo, mas trata-se de uma atividade comum. O mesmo não aconteceria com tomar o metrô, ver uma série ou fumar cachimbo.

Exatamente. O homem se aproxima de Deus, no sentido de ser um pouco como ele, toda vez que pensa, usa a inteligência, articula ideias. Naturalmente que essa aproximação será ainda maior se o uso da razão for adequado, qualitativo, inteligente.

Essa proximidade poderia ser malvista pelos deuses. Uma heresia. Comportamento entendido por petulante. Atrevido. Poderíamos supor que é uma vida pensante que os deuses, de existência eterna, esperam de nós, viventes marcados pela finitude. Ora, dessa maneira, supunham que, através desse uso particular da razão e consequente aproximação do divino, o homem vive melhor. Isto é, a vida ganha um valor, a felicidade é mais provável.

A recomendação certamente seria no sentido de um hábito muito particular, de conversão do inteligente e fútil em sabedoria. Trazendo para a consciência, abastecendo a reflexão tudo aquilo que poderia ao longo do dia ter passado batido, na fugacidade de seus instantes e de suas experiências. Só a nossa alma ou a nossa mente, em sua atividade pensante, pode elevar-se do banal da estrita sensorialidade pobre ao mais poderoso e rico das abstrações. Mas tudo isso só será possível se não abrirmos mão de trabalhar toda a matéria-prima da vida, sentida e percebida, com a riqueza delicada das ideias e de seus encadeamentos.

Pensamentos de Clóvis de Barros Filho

"Temos a impressão de que, na vida de carne e osso, a felicidade representa um grande desencontro e, portanto, ela é sempre cogitada como indicativa de um tipo de existência que não é, que nunca é, mas que gostaríamos que fosse."

(Felicidade ou morte, p. 7)

"Boa parte da tradição filosófica sugere, para que a vida seja boa, certa reconciliação com o mundo, com o real. Ou seja, estar bem com o mundo – até mesmo amá-lo – como ele é. (...) para além das divagações filosóficas, o leitor concordará comigo que muitas coisas no mundo são dificilmente amáveis. Milhões de pessoas mortas, injustiças flagrantes no relacionamento das pessoas, o sofrimento de crianças... Para amar o mundo como ele é, começa a ficar mais complicado. (...) Assim, fazendo apelo a um entendimento mais simplório e trivial sobre a vida, diria que a vida boa implica uma reconciliação com o mundo quando ele é bom. Mas implica também uma transformação do mundo quando ele é ruim e inadequado."

(Felicidade ou morte, pp. 25-26)

"(...) sabemos o quanto é difícil fazer escolhas. Elas são um cobertor curto. Sempre. E só não enxerga o cobertor curto quem foi vítima de algum tipo de inculcação dogmática que o convenceu da existência de um único gabarito para a vida. Cobertor curto porque, se tivermos lucidez, perceberemos que toda decisão desatenderá ao mesmo tempo que atende. E quanto maior a lucidez, maior a certeza de que toda decisão implica caminhos que desatendem, que maculam, agridem, que podem ter valor negativo. *Toda* decisão. Se houvesse a boa e a má decisão por definição, certamente acertaríamos mais. Tudo seria mais fácil, bastaria realmente identificar o certo. Mas o que há é o complexo, e essa complexidade nos massacra."

(Felicidade ou morte, pp. 31-32)

"O mundo que nos afeta positivamente é aquele que nos alavanca a potência de agir; o mundo que nos afeta negativamente é aquele que nos apequena a potência de agir e nos aproxima da morte. Como somos dotados de certo discernimento, capacidade de articulação de ideias, vivemos elucubrando sobre mundos potencializadores e mundos apequenadores. O que nos permite buscar em permanência encontros com os mundos que supomos sejam alavancadores de nossa potência e evitar em permanência mundos que sejam apequenadores de nossa potência."

(Felicidade ou morte, pp. 61-62)

"Nunca tivemos o corpo que temos neste instante. E o mundo que encontramos também é inédito. Portanto, o encontro de um corpo inédito com um mundo inédito traz sempre um resultado efetivamente inédito e, claro, impossível de ser completamente antecipado ou previsto. Isso desmoraliza toda tentativa de formatação da vida, de construção de uma grade inexorável de condições existenciais potencializadoras para qualquer um ou em qualquer momento. Mas continuamos lutando. Essa é a história. Pode não dar certo, mas continuamos lutando. Isto é, continuamos nos servindo daquilo que já nos aconteceu para tentar antecipar aquilo que vai nos acontecer. Naturalmente, somos vítimas dessa limitação de que o que já aconteceu não se repetirá completamente, tanto quanto o que vai acontecer nunca aconteceu antes completamente. É nesse ineditismo, que nunca é radical mas sempre real, que a vida ganha seu charme, suas incertezas e suas inseguranças."

(Felicidade ou morte, pp. 62-63)

Clóvis de Barros Filho por...

Leandro Karnal

Clóvis de Barros Filho é um conhecido nome no campo acadêmico e de palestras pelo Brasil. Ao encontrá-lo, somos tomados pela voz tonitruante, registro típico de um grande orador e intelectual refinado. Suas metáforas candentes, sua base sólida intelectual, seus gestos quase épicos e seus exemplos divertidos são parte de uma idiossincrasia única e inesquecível. É uma mente livre, pouco afeita a convenções e capaz de uma sedução esfíngica. Um Ulisses do pensamento, polímata avassalador e de gênio sedutor. O resto se descobre no texto.

Mario Sergio Cortella

Héphaistos! Ou, como escrevem muitos, *Hefesto*, deus grego do fogo, da metalurgia e dos vulcões. *Vulcano*, sua versão romana, filho de Júpiter, para quem forjava os raios.

E o Clóvis com isso? Pois foi exatamente essa a primeira e boa impressão que tive ao presenciar uma conferência dele sobre ética, faz vários anos: uma pessoa vulcânica, com fala percuciente, conceitos abrasantes e expressão de sutil ironia e ira impactante.

Ex-professor da Universidade de São Paulo, onde se formou em Direito e fez doutorado e livre-docência pela Escola de Comunicação e Artes, também foi à França (casa de ferreiro?) para mestrado em Ciência Política na Universidade de Paris III (Sorbonne-Nouvelle).

Para nossa alegria, continua vulcânico na escrita (é autor de muitas obras de sucesso e importância), nas palestras (para as quais tem um público exponencial no mundo empresarial e acadêmico) e ainda consegue tempo para ser pesquisador e consultor em ética da Unesco.

Clóvis ensina com ênfase, argumenta às vezes com fúria, faz rir com inteligência, forjando com seu martelo e sua bigorna um modo exuberante de refletir sobre decência, vergonha, conduta, felicidade, autenticidade etc. De Hefesto ou Vulcano escapou da parecença estética, mas ficou saudavelmente incendiário...

Monja Coen

Professor Clóvis é, como ele mesmo se intitula, um grande explicador. Tem a capacidade de explicar, de forma didática e divertida, pensamentos filosóficos profundos.

Sempre me honra compartilhar livros, pensamentos, palestras, *lives* com esse professor/educador. Macio e forte, capaz das mais estranhas palavras e analogias para nos fazer entender o que parecia ser difícil.

Professor Clóvis inspiradamente nos conduz, com suavidade e sutileza, a refletir, pensar, ler, estudar, meditar e despertar.

Aqui, nos encaixam – logo nós que não cabemos em caixa alguma.

2
UM DESAFIO

O mundo sai do eixo usual com frequência. Velhas certezas são abaladas por fatos biológicos, políticos ou o desafio das crises econômicas que nos fustigam. Esgarçadas, as certezas sofrem, o corpo fala, os medos afloram. Esta é uma boa hora para reelaborar convicções no estaleiro da mente.

Ideias diferentes e autores distintos entrelaçam gritos de guerra e canções que acalmam. Tudo serve de nova melodia para um mundo que insiste em mudar de ritmo contra nosso desejo de inércia. Esta é a história da vida de todos nós, desde que saímos da maior zona de conforto que nos abrigou: o ventre da nossa mãe. Expulsos de todos os paraísos, a cada nova maçã mordida ou desejada, somos sempre o resultado do jogo brilhante entre a maravilha e o tédio. Ouse saber! Pensar é insistir em viver de novo. Somos teimosos... e com esperança!

Nossa capacidade de extrair sabedoria não depende do tamanho de um texto. O pensamento pode germinar a partir de uma pequena semente. O principal é a maneira como cada leitor se apropria da ideia, dá nova forma a ela, adapta sua biografia e coloca seus contrapontos e suas perspectivas. O ato de pensar é o permanente ressignificar de tudo o que nos cerca. Pequenas pérolas podem formar um ponto de luz transformador.

A ousadia da ideia é sempre fértil. Ela retira de uma certeza, balança uma estrutura, rearranja uma convicção e questiona. Epicteto, há quase dois mil anos, lançava esses desafios para seus atentos alunos. Ao dizer, por exemplo, que o desejo e a felicidade não podiam viver juntos, ele obrigava cada aluno a reorientar todo o edifício da concepção da felicidade. Como assim? Ser feliz, então, não pode se encontrar com o desejo de uma família numerosa, bens materiais, respeito social e prestígio acadêmico? A felicidade não seria o prêmio por todas essas conquistas? Epicteto e quase todos os filósofos diriam um sonoro "não". Quer dizer que eles estavam absolutamente corretos? Filosofia nunca é dogmática.

O desafio de Epicteto relança o leitor atento e reflexivo em um novo salão amplo, inteiramente distinto do anterior, quando as vozes do senso comum e do desejo ordinário começam a se calar. Se os valores que animavam a mente peregrina até ali começam a perder consistência, estabelece-se o primeiro passo de um caminho filosófico. O resto não pertence mais ao autor da frase ou ao leitor. A consequência boa decorrerá de um diálogo nascido entre um argumento e uma vivência.

Os homens não são perturbados por coisas, mas pela visão que possuem delas, completa o autor. Assim, passo a passo, com honestidade e ousadia, cada um se reorienta. Obra de sua consciência e do valor de seus propósitos. Metas são refeitas e valores reassentados. Algo se transforma para sempre. A base disso é a abertura para o pensamento.

Diante de você, dedicado leitor, surgem pequenos livros com ideias variadas de autores distintos. Nenhum é um princípio imutável e eterno. Todos são faíscas que procuram o combustível da boa reflexão. Sua aventura terá poder transformador. Sem pressa, leia e, a cada ponto, estabeleça uma dúvida saudável, um ceticismo permanente que poderá aprofundar sua argumentação, derrubá-la ou reforçar a dos autores.

Frases são sementes e elas precisam de bom solo e de cuidados. Para Sócrates, eram as respostas claras aos questionamentos. Platão convidava a que não ficássemos satisfeitos com a penumbra da caverna. Aristóteles caminha com seus alunos. De cada um, veio uma concepção distinta e, ao mesmo tempo, um desafio. Não é fácil pensar. Isso explica tanta gente que prefere não realizar a jornada. São necessárias, como disse no começo, teimosia e esperança. É o seu caso?

Pensamentos de Leandro Karnal

"Eu posso *desejar*, tenho potência desejante. Posso desejar melhorar. Eu desejo não envelhecer tão mal, então faço atividade física. Eu desejo não ter melanoma, por isso utilizo protetor solar. Mas a minha dúvida é se todas as pessoas têm essa potência desejante. Ou se elas se surpreendem com a vida como se fossem coadjuvantes – e não autoras – num roteiro para o qual foram convidadas. Se as pessoas que vão infelizes, por exemplo, para uma festa de Natal da qual não gostam, mas que não tomam nenhuma providência para que o próximo Natal seja bom ou agradável, percebem a ação deletéria do tempo – engordar, ficar cada vez mais careca, mais cansado e com menos visão – e acham que é assim mesmo. Que não podemos lutar um pouco, seja com atividade física, seja com consulta médica. Afinal, por que tantas pessoas se consideram não desejantes? Ou aceitam as coisas sem um enfrentamento? Seria essa uma forma sutil de felicidade, já que tanto o desejante quanto o não desejante resultarão, da mesma forma, na morte?"

(Felicidade ou morte, p. 41)

"É frase comum que a ignorância é uma bênção, no sentido de que produz pouca consciência dos problemas. Mas há que se ressaltar sempre: a pessoa que não toma consciência de problemas também não está inteirada das soluções e da felicidade. Assim, ignorância pode evitar infelicidade, mas não garante a felicidade."

(Felicidade ou morte, p. 84)

"Preferimos sobreviver a ser livres. E preferimos sobreviver e ser livres a uma terceira coisa. Essas categorias, portanto, estão ligadas ao medo. Nós somos pessoas assustadas. E pessoas assustadas obedecem com facilidade."

(O inferno somos nós, p. 14)

"(...) somos muito criativos para inventar falsas justificativas de vida. Ou superficiais. Ou que não nos convencem, como *likes* nas redes sociais. Não é uma questão que talvez um teólogo dissesse que é a nossa vaidade – tudo é vaidade, como lembra a *Bíblia* –, mas é porque decidimos delegar a nossa existência à reação do outro. E, quase que instintivamente, essa reação leva a um processo de esvaziamento, porque nunca é suficiente. Nunca esse retorno é suficiente. Portanto, a resposta a que se destina uma vida sem sentido ou com a 'náusea do absurdo', que seria a expressão sartriana, só pode ser dada pelo indivíduo. Ela não é universal."

(Viver, a que se destina?, pp. 33-34)

"(...) nós não podemos tudo. Mas estamos livres de evitar o todo poder, ou, como digo em palestras, somos mais do que impotentes e bem menos do que onipotentes. Mais do que impotentes porque todos podemos ser melhores no que fazemos, inclusive no que fazemos bem. E menos do que onipotentes porque, obviamente, temos sempre coisas a melhorar."

(Viver, a que se destina?, pp. 57-58)

Leandro Karnal por...

Clóvis de Barros Filho

Leandro Karnal é um historiador conhecido e reconhecido. No campo acadêmico converteu-se em referência obrigatória e fonte de inspiração para jovens pesquisadores no Brasil e no exterior. Sua incrível coragem e vontade de compartilhar conhecimento levaram-no para além das salas de aula. Assumiu, assim, a curadoria de renomados museus, como o Museu da Língua Portuguesa em São Paulo. Mas foi na condição de colega-colaborador da Casa do Saber que tive a oportunidade de conhecê-lo. Com acurada didática e poderosa eloquência, converte todos os seus ouvintes e alunos em fervorosos fãs, admiradores do seu trabalho. Por tudo isso, é um privilégio para mim esta coautoria.

Mario Sergio Cortella

Karnal é, literalmente, admirável! Gosto demais de vê-lo falar e ensinar, gosto com imenso proveito de ler o que escreve, gosto de conversar com ele e, acima de tudo, da capacidade que tem de encantar com densidade conceitual e ironia sofisticada! Essa também admirável e erudita ironia é tão grande que, gaúcho sendo, e sabendo ser eu paranaense, começa algumas charlas comigo dizendo: "Vocês, do Norte...".

Fico admirando, admirando! Admirando como ele, por ser historiador, ao ser chamado (para mérito nosso) de filósofo, gentilmente recolhe o afago (ou ataque, brincaria o próprio) e retoma a rota de obreiro da História.

Esse artífice, doutorado pela USP, esteve décadas na docência e na pesquisa, especialmente na Universidade de Campinas (Unicamp), e está esparramado pelo mundo afora com as suas inúmeras e merecidamente repletas palestras, percucientes colunas em jornais e revistas, elegantes e requintados comentários no rádio e na televisão, além da expressiva e contundente presença nas redes sociais e na internet, com multiplicação persistente de seguidores, tornando-se um dos mais reconhecidos (e, às vezes, insultados) formadores de opinião no Brasil.

Claro que publicou muitos e muitos livros, com sucesso abundante, sobre História, Política, Religião, Cultura, Filosofia e outras áreas do saber que nos fazem querer mais saber sobre tudo isso que precisa ser sabido.

Leandro Karnal, historiador por desejo e perícia, adentrou a era contemporânea (antigo isso, não?) em 1963; eu aqui já estava, fazia nove anos, e continuo tendo a regalia de, partilhando a mesma era, poder admirá-lo de perto.

Monja Coen

Leandro Karnal é um professor sábio, como deveriam ser todos os grandes mestres.

Simples e gentil. Forte e suave.

Erudito e inteligente, pode tornar compreensíveis as grandes filosofias e os grandes autores.

Postura perfeita e correta – ao sentar, falar, caminhar.

Seriam os anos em frente ao piano? Seriam as influências dos jesuítas que o guiaram no caminho da Sabedoria? Seriam a meditação e os estudos antes do amanhecer?

Mantendo a postura e a firmeza de valores éticos, vivencia a história que ensina, nos conduzindo ao discernimento correto.

3
VIVER?
A INCERTEZA DOS RUMOS E A PERSISTÊNCIA DAS ESCOLHAS!

Manuel Bandeira, nosso magnífico escritor nascido em 1886, teceu obras memoráveis, ficando (ainda bem!) sempre na moda. Dos seus muitos e intensos poemas, há um, simples na aparência, pequeno só no tamanho, chamado "Andorinha", e nele o também poeta inquietou-se: *Andorinha lá fora está dizendo: / – "Passei o dia à toa, à toa!" / Andorinha, andorinha, minha cantiga é mais triste! / Passei a vida à toa, à toa...*

Mesmo que de modo incipiente, ainda tímido, nesta turbulência em que as nossas vidas ficam em estágio de suspensão (movidas pelo espanto vindo da consciência da nossa fragilidade, atingidas pela perplexidade ao defrontarmos a nossa impotência e sobressaltadas com a extensão do nosso desconhecimento), o silêncio eventual traz dramática indagação: A vida passa, sem dúvida, mas, e se ela passar à toa?

Agora, em tempos de agonias, as batalhas pela preservação das nossas vidas vêm acompanhadas de uma mescla de aflições que nos rondam e desembocam em uma indagação mais direta e "customizada": Esta vida que quero tanto preservar, como tem sido? Como precisa ser? Como farei para que não seja à toa?

Em vários momentos, temos a sensação de encostarmo-nos ao precipício, meio espelhado, vislumbrando interior e exterior, lembrando trecho de Nietzsche no livro *Além do bem e do mal*, publicado exatamente no ano em que nasceu Manuel Bandeira: "Quando se olha muito tempo para um abismo, o abismo olha para você".

Ora, para não vermos passar a vida "à toa", temos de revisar e burilar nossas escolhas; como não há resposta exclusiva e unívoca para um "viver, a que se destina?", é no cotidiano que desponta a necessidade de assim pensar a vida e, para nós, a noção do benéfico e do maléfico como resultado de decisões, e não como fatalidades.

Somos capazes (mas não obrigados!) à prática de virtudes e de vícios, e estes coexistem em nós, virtualmente, na sua contraposição. Quando verificamos a presença eletiva de vícios, não os estamos elogiando, mas, isso sim, admitindo a existência deles. Por isso, a constatação da existência dos vícios apenas nos deixa em estado de atenção. É um "sei que eles existem e que são possíveis em outras pessoas e também em mim". Nesse sentido, admitir a presença de vícios é saber que nossa humanidade conta com essa condição, mas que não podemos, em nome da ideia de que errar é humano, justificar qualquer erro, porque uma parte grande deles resulta de escolhas.

Vale tudo, e assim fica tudo bem? Não, não está tudo bem. É preciso não se acomodar com a dupla condição porque, quando se diz que não somos nem anjos nem demônios, não se está dizendo: "Tanto faz!". O que vale é ter tal circunstância como um alerta, em vez de servir como apaziguadora. O alerta é: nós podemos ser angelicais ou demoníacos. Cuidado! Ser angelical, isto é, ser alguém que se move pela bondade, é algo desejável. Ser alguém que se move pela maldade não é desejável, mas é uma possibilidade também. De novo: ser anjo ou demônio é uma escolha!

Para não passarmos pela vida "à toa", temos de reconhecer que há grandes monstros que habitavam muitas pessoas, e nós mesmos, de que nem sempre sabíamos, que estavam adormecidos e que, agora, em meio a um tempo desastroso, nos obrigam a examinar com mais acuidade nossas escolhas individuais e coletivas.

Em Filosofia, sempre lembramos que "quem menos sabe sobre a água é o peixe", isto é, mergulhado em um meio que o envolve, não tem tanto distanciamento para uma avaliação mais precisa; por isso, estamos ainda imersos no redemoinho que nos surpreendeu, e esse ineditismo, até este instante, não permitiu clareza maior de antecipações.

Ainda é precoce uma avaliação sobre o legado amplo que essa ocorrência natural deixará conosco e nós, nela; momentos igualmente graves na história humana mostraram que não demoramos tanto para relevar hecatombes, com uma diferença: desta vez, o espanto ficou maior do que o desdém e, talvez, aprendamos melhor a recusar o que precisa ser memorável.

Em larga escala, e por sofrimento intenso, estamos apreendendo que qualquer antropolatria, ou seja, a adoração do que é humano e nossa postura de destaque na Natureza, é uma tolice! Nossa fragilidade ante o que não inventamos nem ainda dominamos é gritante, e só ultrapassaremos essa barreira com uma humildade que indique que não só não sabemos tanto quanto não podemos tudo.

A Ciência, de modo geral, infalível não sendo, necessita ter uma grande desconfiança sobre o lugar da simples intuição, da suposta iluminação e da mera boa vontade naquilo que quer fazer; nela, é preciso submeter intenções, processos e resultados à análise crítica dos pares e, inclusive, admitir ser desmentido, advertido ou ultrapassado, sem que soe como ofensa ou desacato. Nem todas as pessoas têm permeabilidade intelectual para tais requisitos e, por isso, costumam menosprezar e subestimar a validação que ultrapasse a opinião vulgar.

Exatamente aí reside a fonte possível de motivação: as incertezas! Elas permitem que possamos edificar o que Paulo Freire chamava de "inédito viável", isto é, o que é ainda não é (por isso, inédito), mas que pode ser (por isso, viável).

Pior do que incertezas seria a certeza de que não há mais o que fazer. Afinal, não somos seres perfeitos como ponto de partida nem como ponto de chegada. A palavra "perfeito" significa feito por completo, feito por inteiro, concluído, e, assim sendo, só há um tipo de ser humano perfeito, o cadáver, dado que não pode mais se modificar por si mesmo, somente por outros seres.

A perfeição é um horizonte, não um estado que se alcança ou um lugar aonde se chega. Nós não somos perfeitos; somos perfectíveis. Somos capazes de procurá-la, e o precisamos, para que a vida não passe à toa...

PRUDÊNCIA!
MS CORTELLA

Pensamentos de Mario Sergio Cortella

"(...) a nossa vida é a nossa oportunidade. Podemos orientar a nossa vida, que é a nossa oportunidade de ser, para um ser mais pleno, portanto, mais virtuoso, para usar a antiga Filosofia, ou para um ser deficiente do ponto de vista ético e moral, que é aquele que degrada a vida. (...) Uma parte da Filosofia, nos começos, imaginava que a ética fosse um atributo natural, isto é, que já se nascia pronto com ela. Logo, uma pessoa nascia boa ou má. Ora, Aristóteles vai dizer que a ética também é hábito, ela também é prática. E ela pode ser ensinada. Portanto, a virtude no meu entender – e nesse quesito eu concordo com Aristóteles – não é o que já nasce pronto em nós; ela é uma possibilidade a ser desenvolvida, tal como o vício. Nós somos seres capazes de virtudes e de vícios. Somos angelicais e demoníacos."

(Nem anjos nem demônios, pp. 12-13)

"Eu acho que o que caracteriza uma virtude no sentido de positividade é exercê-la como crença, e não como circunstância."

(Nem anjos nem demônios, p. 30)

"A vida é tão magnífica e é um mistério tão estupendo que a desperdiçar, isto é, a fazer menor do que ela pode ser, é uma ofensa. Não é uma ofensa a alguém, a alguma divindade, a forças esotéricas; é uma ofensa à própria vida. É uma forma de diminuir-se, de ser menor do que se é de fato."

(Nem anjos nem demônios, pp. 85-86)

"Uma frase antiga sem autoria diz que não vamos conseguir controlar a direção dos ventos, mas podemos reorientar as velas. Acho que, de fato, não controlamos a direção dos ventos. Isso está fora da nossa possibilidade. Mas podemos reorientar as nossas velas."

(Viver, a que se destina?, p. 74)

"O sol não entra o tempo todo, não entra por todos os lados. Mas há momentos em que ele entra. E, nessas horas, a gente tem que ter disponibilidade para permitir que isso aconteça. Como? Tendo clareza do que falavam nossos avós: não há mal que sempre dure, nem bem que nunca se acabe. Há uma alternância na natureza em que a um inverno inclemente sucede uma primavera vicejante. São ciclos. Não significa fingir que tudo está bem, mas, quando as coisas bem estão, deixar que cheguem, e, quando bem não estão, enfrentá-las com serenidade, persistência, paciência e inteligência."

(Viver, a que se destina?, p. 98)

Mario Sergio Cortella por...

Clóvis de Barros Filho

Em toda atividade profissional há uma referência. Profissional cujo nome, presença e *performance* posicionam os demais. Eixo que estrutura o campo. Que define distâncias e valores. Porta-voz legítimo de um grupo. Autorizado a representar seus membros. Aplaudido pela história. Pela própria trajetória. Antes mesmo de enunciar seu discurso. Esses também são alguns atributos de Mario Sergio Cortella. Sólida formação filosófica, professor cuja visibilidade e notoriedade foram pouco a pouco transbordando os muros da Pontifícia Universidade Católica de São Paulo a que, por muito tempo, se encontrou filiado. Autor de extensa obra merecedora não só de louros acadêmicos como de extraordinária aceitação nas organizações. Combinação inédita e de grande raridade. Palestrante aplaudido em todas as instâncias do mundo do trabalho, públicas e privadas. De fala aguda, rigorosa e arrebatadora. E imensamente generoso com todos aqueles que, como eu, o tomam como fonte de inspiração.

Leandro Karnal

Ser amigo do Mario Sergio Cortella é daqueles privilégios para eu inscrever na minha lápide. O londrinense é de uma personalidade solar, sorriso sincero, brilhante dono de uma retórica apurada e, acima de tudo, um humanista honesto. Se o filósofo Diógenes de Sinope o tivesse encontrado, teria interrompido a busca com a lanterna. Sua mensagem é clara e construtora de pontes em um mundo de muros opacos. É um democrata. As nuvens se dissipam e a luz aparece quando ele entra em uma sala. Seu discurso busca raízes, de palavras e de pessoas. Há um *daimon* original e forte falando nele, talvez socrático, talvez do Espírito Santo, certamente original e que ajuda a explicar o magnetismo imediato que Cortella provoca naqueles que encontra pelos muitos caminhos que percorre. A causa da educação o eletriza. Como Obelix, caiu em um caldeirão de poção druídica de vitalidade de energia criativa. Viva Cortella! Viva a vida!

Monja Coen

Atrás do sorriso, um olhar que atravessa a superfície. "Quem é você? Como pensa? O que realmente quer dizer com isso?". Assim é o Professor Mario Sergio Cortella.
Há anos o encontro, sem marcar encontro, em locais

diferentes: PUC-SP, palestrando no mesmo evento em alguma cidade do Brasil, caminhando nas proximidades da avenida Paulista, em restaurantes de bairro, aeroportos... Cada encontro, uma troca breve de palavras, um desafio ao pensar. Não é um ser humano comum.

Professor Cortella pensa rápido e suas conexões neurais são infinitas – de um tópico a outro constrói e desconstrói ideias e ideais.

Dialogar com ele não foi fácil e divertido; foi instigante e reflexivo. Somos de tradições diferentes. Não pensamos exatamente da mesma maneira, e aqui está um tanto dele, a nos ensinar a pensar.

Reconheço o Professor e agradeço a ele pelas aulas que nos dá. Quer nas ruas, quer nas esquinas, no café do aeroporto de Porto Alegre onde me lembrou que é no Capítulo 34 que são Bento fala de não resmungar – exemplo que costumo dar em minhas palestras.

Caminhando e aprendendo. Encontrando e reencontrando um grande homem sábio – diria até um ser iluminado.

4
CÉU OU INFERNO: A ESCOLHA É SUA

De repente, tudo silenciou. Só os pássaros não entenderam e continuaram cantando. Eram muitos, de espécies e cantos diferentes. Tornaram-se audíveis, cantos fortes, sem os ruídos dos carros, das pessoas, das motos e dos caminhões. As ambulâncias não precisavam das sirenes. Não havia aviões de carreira. Helicópteros, alguns. E o silêncio.

Assim iniciou a pandemia em São Paulo. Muitas *lives*, entrevistas para canais de televisão, rádios, escolas, empresas, artistas, médicos, pesquisadores, neurocientistas. O que fazer durante o isolamento social? Como viver bem em meio a tanto sofrimento, medo, angústia? Essas eram as principais e repetidas perguntas.

Respiração consciente é uma das chaves de equilíbrio, disse várias vezes. Corpo e mente oxigenados facilitam reflexões sobre o que é essencial. Alguns pensaram, meditaram, leram, estudaram, refletiram; outros, não. E você?

A pandemia fez de sua vida um inferno ou você fez um inferno da pandemia? Onde estava o céu? Você percebeu que poderia estar no céu? Que está no céu quando é feliz?

Saiba que é possível transformar uma cultura de ódio, de violência em uma cultura de paz. Você precisa se observar e fazer escolhas adequadas. Se ainda não o fez, agora é o momento. Ainda é possível.

Observe em profundidade. Escolhas. Você pode perceber que está sempre na Terra Pura e no sagrado?

Não somos nem anjos nem demônios – somos seres humanos que podem escolher entre virtudes e vícios.

No zen-budismo, definimos as virtudes como paramitas – aquilo que facilita a nossa travessia no oceano de velhice, doença e morte. Paramita é o que nos leva de uma margem à outra, nos facilita a mudança da ignorância, da insatisfação para a compreensão profunda e a completude. Há várias práticas possíveis. Leia e escolha, ao menos uma delas.

A pandemia nos atravessou e nós a atravessamos. Talvez até 2023 haja casos e sequelas. Vacinação em massa e o vírus se metamorfoseando. Haverá fim?

Somos frágeis e ao mesmo tempo poderosos. Descobrimos vacinas, curas, remédios. Testando. Cobaias humanas – mas sempre fomos. Agora, o que estava oculto se revelou a todos. Instabilidade, transformação incessante. Nada é seguro. Mesmo assim o mel adoça a boca e apreciamos instantes raros de maravilhamento com a existência.

Como você tem passado? Você está no presente? Você tem futuro?

Algumas pessoas, com a alta probabilidade da dor, da doença e da morte, se tornaram bondosas e solidárias. Outras se tornaram amedrontadas e solitárias. Outras, gananciosas e desconectadas, cometeram crimes.

Agora, a cidade está novamente agitada. Trânsito, correrias, aglomerações, mesmo que proibidas, acontecendo. Máscaras, álcool em gel, higienização, distanciamento social

– escolas devem ou não abrir? Abre e fecha. Verde, amarelo, vermelho...

A pessoa sábia é aquela capaz de entender os sinais do caminho. Você percebe esses sinais?

A Papirus me convidou a conversar com Professor Leandro Karnal e depois com Professor Mario Sergio Cortella. Dois livros nossos surgiram desses encontros. Aprendi com os professores, não só suas palavras, mas seus olhares, suas formas de pensar a vida, suas experiências de estudos e de salas de aula, de entrevistas e programas de TV. Cada um, com sua maneira particular de ser, me levou a rever a mim mesma.

Nesta caixa – que não é a de Pandora –, você encontrará reflexões para pensar e, quiçá, apreciar cada instante.

No início, no meio e no fim – outro início –, sempre estamos fluindo, e tudo vai se transformando, sem que haja algo fixo ou permanente. Tudo o que era deixou de ser. O que é, agora, também não será mais.

Telas de celulares, computadores, virtualidade, inteligência artificial. Adaptação. Como será o amanhã? Quando tirarmos as máscaras, continuaremos solidários ou estaremos mais solitários? Será que esta experiência rara da pandemia pode transformar a humanidade? Certamente transformou e nada jamais voltará a ser o que foi.

Vida mais simples, consumo responsável, diálogos esclarecedores – menos ódio, mais inclusão?

Sim e não. Não somos iguais; somos semelhantes, e cada pessoa no seu nível de compreensão da vida responderá de onde pode estar. Aqui, provocamos você a pensar.

Reflita conosco sobre o medo, a liberdade, as escolhas possíveis e impossíveis, o prazer na existência e a capacidade de apreciar cada instante sagrado da vida. Respire conscientemente e esteja presente no presente.

Mãos em prece.

Escolhas
Monja Coen

Pensamentos de Monja Coen

"Nós, humanos, podemos fazer qualquer coisa. Os crimes mais horrorosos da humanidade foram cometidos por seres humanos contra seres humanos e contra a natureza, da qual depende a vida humana. Por isso, acredito firmemente que precisamos conhecer a nós mesmos, conhecer a nossa mente, verificar nossa capacidade de atuação no mundo e fazer escolhas – escolhas que considerem todas as formas de vida como a nossa própria vida."

(O inferno somos nós, pp. 49-50)

"Se há um bem individual que nos beneficia, mas que prejudica o coletivo, estamos prejudicando a nós mesmos. Porque nós somos essa vida. Se não cuidarmos do meio ambiente, do ar, da terra, do solo, não estaremos cuidando da nossa própria vida, que é o nosso corpo e a vida da Terra. Se não cuidarmos da nossa maneira de ser, de pensar e de nos relacionar com as outras pessoas e com o mundo, não estaremos cuidando de nós mesmos. Porque não podemos nos separar de nós mesmos. Somos esse todo manifesto. O que jogamos volta para nós. Se nos arrependemos e percebemos que algo não foi bom, minimizamos os efeitos, mas não vamos apagá-los jamais. Somos, portanto, corresponsáveis pela realidade em que vivemos. Fazer com que as pessoas percebam isso, que são responsáveis pela realidade em que estão vivendo e pelas decisões que tomam, para mim, é educação."

(O inferno somos nós, p. 93)

"O mundo é transformação, não há nada fixo nem nada permanente. E nós somos a transformação deste mundo. Como fazemos isso? A nossa presença, a nossa fala, o nosso pensamento, os nossos gestos são movimentos que mexem com a trama da existência. A existência é comparada a feixes luminosos onde em cada intersecção há uma joia emitindo raios em todas as direções. Nós somos a vida dessa joia. O que fazemos, falamos e pensamos mexe em toda essa trama. Podemos fazê-lo de maneira prejudicial ou de maneira benéfica. A escolha é nossa."

(Nem anjos nem demônios, p. 81)

"Todos nós, como seres humanos, temos a capacidade de compreensão e questionamento. É importante não se aquietar e questionar: O que é vida-morte? O que estamos fazendo aqui? Qual é o nosso papel no mundo? Temos um papel no mundo? Quais escolhas podemos fazer? A partir dos questionamentos, da procura penetraremos nos ensinamentos dos preceitos, da vida ética. Não são preceitos fechados, regras absolutas. Devemos compreendê-los em profundidade."

(Nem anjos nem demônios, p. 89)

"Estamos vivendo momentos de grande polaridade: se a outra pessoa não pensar como nós, passaremos a odiá-la imediatamente e a excluiremos de nossas redes sociais, de nossos relacionamentos. Será que devemos destruir uma pessoa porque ela abala o personagem que criamos para nós mesmos? Não deveria ser assim. Uma outra forma de ser não necessariamente abala a nossa forma, pelo contrário, nos enriquece. Fortalece a capacidade de demonstrarmos o nosso ponto de vista, o nosso olhar ou até mesmo de mudarmos de olhar e ponto de vista. Todos podemos mudar."

(Nem anjos nem demônios, p. 113)

Monja Coen por...

Clóvis de Barros Filho

Prefiro verbos. Cobram potência. Denunciam sua presença. Correr. Comer. Colaborar. Costurar. Cozinhar. Colar. Convidar.

O único mais embaçado é mesmo o "ser". Porque é teimoso. E reluta em "deixar de ser". Tão estranho que nem parece verbo.

Não gosto de substantivos. Lembram do que não pulsa. Substância. Dá arrepio. Retira do fluxo. Como pescaria de rio. Frigorífico antiputrefação.

Mesmo "vida". Substantivo estranho. Não se assume como sujeito. Quem vive é o vivente. Não sei bem o que é. Embora já lhe tenha até atribuído valor. E a condenado, em título de livro, a "valer a pena ser vivida".

Perdoe-me. A ignorância é quase sempre atrevida. Sobretudo quando ignorada. E nunca fui um Sócrates. A diferença entre a samambaia que morre seca e a dos chineses – cada vez mais convincente, que às vezes quebra porque é de plástico – é menos óbvia do que parece.

Por isso prefiro "viver". E todas suas conjugações. Sempre no presente do instante vivido.

Monja Coen vive. Vive bem. Sabiamente. Porque pensa para tanto. Traz para a consciência tudo o que pode. Do mais originário – como na renúncia para dar origem a uma nova trajetória – ao mais derivado – como na limpeza diária de uma taça de ritual. Informa ao mundo – com as mãos em prece – sua presença nunca banal. Manifesta, a cada gesto, seu respeito pelo entorno. E se faz respeitar. Seu viver desesperançado – de quem realiza muito sem tanto esperar – é referência para desesperados. Convencida da ilusão de um certo "eu" tão familiar, vive, em consciência universal, integrando o seu todo. Íntegra. Reconhece-se onda exuberante. Obra da energia do vento. Que, ao chegar à praia, devolve ao oceano suas águas, sem nunca o ter abandonado.

Gratidão ao deus das causalidades materiais que – para ignorantes como eu – veste o manto de acaso e, na imanência da vida vivida, promoveu nosso primeiro encontro em Uberlândia. Amizade que vale – com sobras de transbordar – todas as penas que o mundo impõe, com seus átomos em lança.

Leandro Karnal

A Monja Coen foi-é uma jornalista. Isso ajuda a explicar sua clareza de fala e escrita e sua vontade de difundir ideias. Tornou-se a mais conhecida face da divulgação do budismo no Brasil. Sorriso permanente, vontade de ser entendida e compaixão como valor marcam sua figura.

Em um mundo definido por muros e espaços individuais, ela acolhe imediatamente. Como diz um antigo sutra, forma é vazio e vazio é forma. Leva uma vida para entender isso porque é muito simples. As palavras da Monja Coen pedem exatamente a volta ao que é simples e direto. É uma revolução.

Mario Sergio Cortella

A Monja Coen é única (até no nome)! Isso desde 1947, quando tornada Claudia Dias Batista de Souza. Decidiu quase quatro décadas depois virar monja – dá para "virar" monja? Claro, especialmente se essa virada for feita com a esperança e a sinceridade de alguém, como ela, que, tendo vivenciado muitas das dores e delícias deste mundo, decidira que havia outros modos de também estar nele.

Das dores e delícias guardou uma história pretérita de religiosidade católica; a profissão de jornalista; viagens para o exterior, deixando São Paulo onde nasceu, maternidade (agora já é bi-bisavó!); e, claro, uma imensa vontade de viajar também para dentro de si, fazendo melhor o entorno do lado de fora dela mesma.

Quando, ainda na Los Angeles de 1983 (antes de ir viver um bom tempo na Ásia), fez os votos monásticos, é provável que não supusesse que teria tanta relevância para o zen-budismo no nosso país; afinal, desde que dela ouvi falar (e lá se vai nisso um quarto de século) e com ela passei a conviver mais em eventos, palestras, debates, vizinhanças, cafés etc., só encontrei pessoas que dela acolheram o encantamento que impregna sua missão (missão mesmo!) pela paz, pela harmonia e pela autenticidade.